Smyk, uprowadzony szczeniak

Czytaj inne książki Holly Webb:

Biedna, mała Luna
Czaruś, mały uciekinier
Figa tęskni za domem
Fred się zgubił!
Gdzie jest Rudek?
Gwiazdko, gdzie jesteś?
Kora jest samotna
Kto pokocha Psotkę?
Ktoś ukradł Prążka!
Łezka, przerażona kotka
Maksio szuka domu
Mały Rubi w tarapatach
Mgiełka, porzucona kotka
Na ratunek Rufiemu!
Pusia, zagubiona kotka
Samotne święta Oskara
Smyk, uprowadzony szczeniak
Wąsik, niechciany kotek
W poszukiwaniu domu
Wróć, Alfiku!
Zagubiona w śniegu

Smyk, uprowadzony szczeniak

Holly Webb

Ilustracje: Sophy Williams

Przekład: Jacek Drewnowski

WYDAWNICTWO ZIELONA SOWA

Dla Emily Ruby oraz dla Robina i Williama

Tytuł oryginału: *Sam the Stolen Puppy*

Przekład: Jacek Drewnowski

Redaktor prowadząca: Sylwia Burdek

Korekta: Teresa Lachowska

Typografia: Stefan Łaskawiec

Skład i łamanie: Barnard Ptaszyński

ISBN 978-83-265-0426-6

Wydawnictwo Zielona Sowa Sp. z o.o.
00-807 Warszawa, Al. Jerozolimskie 96
tel. 22 576 25 50, fax 22 576 25 51
www.zielonasowa.pl
wydawnictwo@zielonasowa.pl

Książkę wydrukowano na papierze Ecco Book Lux 90 g/m^2 wol. 1.8
dostarczonym przez firmę antalis | map.

Rozdział pierwszy

Salon pełen był strzępów papieru do pakowania prezentów, a mama Mileny rozpaczliwie próbowała opanować sytuację.

– Milenko, czy ten samochodzik, który właśnie odpakował Jacek, był od cioci Magdy czy od cioci Zuzy? Nie, zaraz, przecież ciocia Zuza wysłała wam kupony na książki, prawda? – mama z niepokojem wpatrywała się w listę. – Ale jestem pewna, że mówiła coś o samochodzie.

Tata Mileny zaszeleścił papierem, próbując odszukać karteczkę.

– Nie, przykro mi, zdaje się, że Jacek ją zjadł.

– Śniadanie? – chłopiec podchwycił wzmiankę o jedzeniu. – Chcę tosta! – zostawił samochodzik w stercie papierów i wstążek, po czym skierował się do kuchni.

– Ej! Wracaj tu! – zawołał tata z lekkim gniewem.

Jacek odwrócił się, zdezorientowany.

– Ale myślałem, że będzie śniadanie... – powiedział urażonym głosem.

Tata podniósł go i połaskotał.

– Przepraszam, nie chciałem krzyczeć. Po prostu musimy trochę pocze-

kać. Milena nie otworzyła jeszcze wszystkich prezentów. Dalej, Milenko, zwykle nie jesteś taka powolna.

Milena siedziała w ciszy przy stosie odpakowanych prezentów. Wszystkie były bardzo ładne: para nowych trampek, puchata, różowa czapka i szalik oraz nowe brokatowe flamastry i szkicownik. Dziewczynka powinna się cieszyć. Ale nic nie mogła poradzić na uczucie lekkiego rozczarowania. Na jej liście świątecznych prezentów znalazła się tylko jedna pozycja.

Zarówno ona, jak i Jacek napisali listy do Mikołaja – to znaczy Milena napisała list za brata, co trwało bardzo długo, bo chłopiec ciągle zmieniał zdanie i chciał dostać niemal cały asortyment sklepu z zabawkami. Narysował jakiś duży kolczasty kształt, twierdząc, że to renifer, i postawił dużą literę J na dole, czyli zrobił wszystko, na co było stać trzylatka. Tata napalił w kominku i posłali listy w górę przez komin w postaci rozżarzonych strzępów. Milena nie była do końca pewna, czy listy w magiczny sposób mkną na biegun północny, ale i tak była to przednia zabawa. A poza tym nigdy nie wiadomo...

Tak czy inaczej Milena raczej nie spodziewała się, że Mikołaj rzeczywiście zostawi szczeniaka na jej łóżku. Przekazała mamie i tacie jasną wskazówkę, lecz najwyraźniej im ona umknęła. Dziewczynce został do odpakowania jeden prezent, w którym z pewnością nie było psa. Paczka była na to o wiele za mała. Chociaż zawinięto ją w śliczny papier, srebrny, z czarnym wzorkiem w kształcie odcisków łapek.

– Przepraszam, Jacku, został mi do odpakowania jeszcze ten jeden prezent.

Starając się nie okazywać rozczarowania, ostrożnie rozdarła opakowanie na końcu, chciała bowiem zachować papier w łapki. Zajrzała do środka, ale nie mogła się zorientować, co to takiego. Z kształtu wywnioskowała, że to może być coś do ubrania, choć przedmiot wydawał się dość twardy. Potrząsnęła pakunkiem i coś czerwonego wypadło ze środka, po czym się rozwinęło. Były to czerwona obroża dla psa i smycz!

Aż ścisnęło ją w brzuchu z nadziei, lecz starała się zbytnio nie emocjonować, bo mogło się okazać, że to coś innego, niż sobie wyobraża. W końcu miała wspaniałego pluszowego dalmatyńczyka o imieniu Gryzio i wielkości niemal prawdziwego psa. Jeszcze parę lat temu lubiła się nim bawić, udając, że jest prawdziwy, i zawiązywała mu

na szyi wstążki, które pełniły funkcję smyczy. Teraz jednak już nigdy tego nie robiła. No, w każdym razie prawie nigdy. Rodzice nie kupiliby jej prawdziwej obroży i smyczy tylko dla Gryzia, prawda?

Dziewczynka podniosła na nich z nadzieją wzrok, trzymając obrożę w rękach tak, jakby było to coś nadzwyczaj cennego.

Tata się uśmiechał.

– Czy ktoś słyszy jakieś odgłosy z kuchni? – spytał z niewinną miną. – Jestem pewien, że słyszałem jakiś hałas... Chyba dochodził ze schowka. Coś jakby szczekanie...

Milena podskoczyła z podniecenia i pobiegła do kuchni, a potem przemknęła do schowka, gdzie trzymali zmywarkę. W kącie stał piękny nowy koszyk. Uklękła przy nim, ledwie łapiąc oddech z emocji. Koszyk wyłożony był miękkim kocykiem, a z boku leżała kulka złotej sierści. Dziewczynka wpatrywała się w szczeniaka, a on wydał z siebie głębokie westchnienie, które zdawało się przechodzić przez całe jego ciało. Potem otworzył jedno oko i też na nią popatrzył. Najwyraźniej wyglądała interesująco, bo drugie oko też się otworzyło, a następnie piesek odwrócił się i wstał. Ziewnął szeroko, ukazując różowy język i ostre białe ząbki, by po chwili poczłapać przez koszyk do Milenki. Niemal dotknął jej twarzy noskiem. Nieśmiało zamerdał ogonem i polizał jej policzek, patrząc na nią z nadzieją.

Najwyraźniej chciał, by go pogłaskała. W koszu trochę się nudził.

– Ojej... – Milena bardzo powoli wyciągnęła rękę, by szczeniak ją powąchał. Chciała go podnieść, ale nie miała pewności, czy to dobry pomysł. Może pieska to przestraszy? Rozejrzała się i zobaczyła tatę, opartego o drzwi, z zadowoloną miną.

– Bardzo dobrze, Mileno. Zaczynasz powoli. Dokładnie tak, jak

powinnaś – też kucnął przy koszu. – Pogłaszcz go trochę. Podrap go za uszkami. A jak już do tego przywyknie, możesz go przytulić.

– Naprawdę jest dla mnie? – wyszeptała, nie mogąc oderwać oczu od szczeniaka.

– Dla ciebie – tato z uśmiechem patrzył na zdumioną twarz córki.

– Jest taki piękny! Bardzo ci dziękuję, tato! Myślałam, że się nie zorientowałeś, że chcę psa.

– Trudno byłoby się nie domyślić – odparł ze śmiechem. – Dawałaś nam wyraźne wskazówki! Ciągle mówiłaś o psach...

– To labrador, tak? Jaki śliczny! Jesteś najładniejszym psem, jakiego w życiu widziałam – wyszeptała, jednym palcem drapiąc szczeniaka za uszkami. Jego uszka były miękkie jak aksamit. Piesek z zadowoleniem przymknął oczy. Głaskała go dokładnie tam, gdzie powinna. Nagle szczeniak wierzgnął tylną łapą, gdy połaskotała szczególnie wrażliwe miejsce.

Milena z niepokojem spojrzała na tatę.

– Zrobiłam coś nie tak? Czemu tak macha łapami?

– Nie, wszystko w porządku. Niektóre psy tak robią. Mój Kudłacz wierzgał za każdym razem, kiedy drapałem go za uszami. To tylko oznacza, że im się podoba i że chcą, żeby dalej je drapać. Prawda, mały, hmm? I masz rację, to labrador –

dodał, wyciągając rękę, by także pogłaskać szczeniaka. – Ma osiem tygodni – tato uśmiechnął się do Mileny, która wciąż z zachwytem patrzyła na pieska, głaszcząc go jednym palcem. – Podoba ci się?

– Jest fantastyczny! – Milena miała ochotę podskoczyć i uściskać tatę, ale nie chciała przestraszyć szczeniaka jakimś gwałtownym ruchem.

– Dobrze – powiedział tata. – Może spróbujesz go podnieść? O tak, złap go delikatnie. Podtrzymuj jego zadek, żeby było mu wygodnie.

Dziewczynka ostrożnie przytuliła szczeniaka do swojego szlafroka, a piesek natychmiast podjął próbę wdrapania się na nią, żądny nowych wrażeń.

– Weź go do kuchni – podsunął tata. – Pozwól mu się trochę rozejrzeć. Pojechałem po niego wczoraj późnym wieczorem i od tamtej pory siedział tutaj. Musi stopniowo przyzwyczajać się do domu. Stopniowo, jedno pomieszczenie po drugim. Na razie będziemy trzymać go tutaj i w kuchni.

Milena wstała, bardzo, bardzo ostrożnie, i weszła powoli do kuchni ze szczeniakiem, który rozglądał się nad jej ramieniem. Chłonął wszystko dookoła swoimi lśniącymi, czarnymi oczami.

Mama i Jacek siedzieli przy stole kuchennym, a chłopczyk pochłaniał dużą porcję płatków. Na widok Mileny szeroko otworzył oczy i z ust wyciekła mu strużka mleka.

– To piesek! – wykrzyknął.

– Tak – przyznała mama. – Piesek Mileny. Prezent na gwiazdkę. Ale jestem pewna, że Milena tobie też pozwoli się z nim bawić.

Jacek zaczął podskakiwać na krześle, śmiejąc się radośnie.

– Piesek! Piesek, piesek, piesek, piesek, piesek, piesek!

– Uważaj! – mama nachyliła się i odsunęła miseczkę z płatkami na bezpieczną odległość. – Uspokój się – podała mu ściereczkę, na którą zupełnie nie zwrócił uwagi, wciąż wpatrzony w szczeniaka.

– Czemu Milena dostała pieska, a ja nie? – spytał, marszcząc czoło.

– Jesteś trochę za mały na własnego pieska, kochanie – wyjaśniła mama. – Mikołaj przyniósł ci zdalnie sterowany pociąg.

Wydawało się, że Jacek nie był do końca przekonany.

– Wolałbym pieska – mruknął.

Milena usiadła na skraju krzesła ze szczeniakiem na kolanach.

– Jest taki uroczy – szepnęła. – Nie mogę uwierzyć, że naprawdę daliście mi psa! – nagle się wyprostowała, przytrzymując pieska, by nie spadł. – A ta reklama w telewizji? – spytała z niepokojem. – Widziałam ją, kiedy już napisałam swój list. Mówili, że nie powinno się dawać psów pod choinkę.

Rodzice wymienili porozumiewawcze spojrzenia.

– Zgadza się, Milenko, to nie jest najlepszy pomysł – potwierdziła mama. – Ludzie często sądzą, że mały szczeniak to uroczy prezent, a potem, kiedy robi się większy, nie chce im się już nim opiekować.

– Bo to ciężka praca, więc musisz być bardzo odpowiedzialna – wtrącił tata.

Milena z powagą pokiwała głową. Będzie superodpowiedzialna!

– Ale i tak zamierzaliśmy podarować ci psa – ciągnęła mama. – Nawiązaliśmy już kontakt z ludźmi, którzy hodują labradory, i czekaliśmy na następny miot. Ten szczeniaczek urodził się akurat we właściwym czasie, żeby zostać idealnym prezentem gwiazdkowym.

Podczas bożonarodzeniowego obiadu Milena niemal nic nie jadła. Co chwila wstawała od stołu, by zajrzeć do szczeniaka. Dostał kawałek indyka i trochę marchewki, ale tata powiedział, że nie można mu dawać świątecznego ciasta.

– I, Mileno, pamiętaj: nie wolno ci karmić go niczym ze stołu. Nie chcemy, żeby się nauczył kraść jedzenie! –

mama wstała i zaczęła sprzątać talerze. – Wymyśliłaś już imię dla niego? – spytała, podchodząc do zlewu.

Dziewczynka z zamyśleniem popatrzyła na szczeniaka, który walczył z kawałkiem papieru do pakowania prezentów, turlając się z nim i warcząc. – Chyba nazwę go Smyk – powiedziała. – To do niego pasuje.

– Bardzo ładne imię – zgodził się tata. – Nie chcemy przecież krzyczeć „Puszek, do nogi" na cały park, prawda?

Milena zachichotała.

– Właściwie uważam, że Puszek to również fajne imię. Dzięki, tato!

Uklękła przy psiaku i zapytała: – Chciałbyś się nazywać Puszek, prawda?

Szczeniak fuknął z niesmakiem i wypluł w jej stronę kulkę papieru.

Uśmiechnęła się szeroko.

– Dobra, w takim razie niech będzie Smyk – nachyliła się, podpierając podbródek ręką i patrząc, jak piesek węszy wokół jej stóp, prychając cichutko do siebie. Potem wdrapał się na jej stopę i popatrzył na nią z nadzieją, podnosząc jedną łapkę. – Hej, Smyku – powiedziała, pochylając się, by go podnieść.

Westchnął z zadowoleniem, po czym zaczął ugniatać łapkami jej kolana, aż wszystko było jak należy. Następnie się położył i w ciągu kilku sekund zapadł w sen.

Milena patrzyła, jak jego malutkie ciałko drga we śnie. Ciągle nie mogła uwierzyć, że piesek należy do niej. Czy można było marzyć o większym szczęściu?

Rozdział drugi

Ferie świąteczne zdawały się mijać jeszcze szybciej niż zwykle, gdy Milena mogła bawić się ze Smykiem. Niedługo znowu była w szkole. Pierwszego dnia bardzo niepokoiła się, co porabia piesek i czy mu smutno bez niej. Kiedy mama i Jacek przyszli ją odebrać, puściła się przed nimi biegiem. Mama musiała ciągle za nią wołać, by zwolniła.

– Chodź! – krzyknęła Milena ze złością, gdy brat znowu się zatrzymał. Liczył kamyki i dotarcie dokądkolwiek zajmowało wieki. Bardzo chciała wrócić do domu i zobaczyć Smyka, za którym się stęskniła. Sprawę pogarszał jeszcze Jacek, który przez większość czasu paplał o tym, jak to świetnie bawił się ze Smykiem, gdy ona była w szkole. To było nie w porządku. Smyk był jej psem! Milena wiedziała jednak, że nie może zabronić bratu zabawy ze szczeniakiem. W pewnym sensie cieszyła się, że Jacek był w domu, bo inaczej Smykowi mogłaby doskwierać samotność. Milena miała tylko nadzieję, że piesek chociaż odrobinę za nią tęsknił!

Tymczasem Smyk kręcił się po domu, nieco zdezorientowany. Strasznie długo nie widział Milenki. Już wcześniej wychodziła z domu, ale nigdy na tak długo. Piesek przecież nie rozumiał, co to jest szkoła, mimo że poprzedniego wieczoru Milenka wyjaśniła mu to bardzo dokładnie i obiecała, że wróci.

Szczeniak wsunął nos pod kanapę i zaczął węszyć, na wypadek gdyby Milena schowała się właśnie tam. Ale niestety, było tam tylko mnóstwo kurzu i kilka klocków lego. Smyk kichnął. Później podreptał do przedpokoju i podniósł wzrok na schody. Jeszcze nie radził sobie ze wspinaniem się na stopnie i zastanawiał się, czy dziewczynka jest na górze. Zwykle jednak, gdy wchodziła na górę, zabierała go z sobą.

Piesek zaskamlał, a potem wydał z siebie ciche, pełne nadziei szczeknięcie. Milenka nie przybiegła jednak do niego. Usiadł i oparł pyszczek na pierwszym stopniu, zmęczony poszukiwaniami. Zabawa z tym małym chłopcem była całkiem miła, ale to nie to samo. Smyk chciał, żeby wróciła Milena. To ona była dla niego kimś szczególnym.

Milena podskakiwała przed progiem, czekając, aż mama i Jacek ją dogonią. Dlaczego tak długo to trwało? Rzuciła tornister i uklękła, by zajrzeć przez szczelinę na listy w nadziei, że zobaczy Smyka.

– Oooch! Jest tam, leży przy schodach i śpi jak kamień – zawołała.

– Milenko, co ty robisz? – spytała mama, gdy wraz z Jackiem podeszła bliżej.

– Patrzę na Smyka, jest taki śliczny, teraz śpi...

Mama bardzo cicho otworzyła drzwi i weszli do środka, uciszając Jacka, który nie przestawał mówić.

Smyk usłyszał odgłos zamykanych drzwi i podskoczył, szczekając z radości. Milena wróciła! Pies tak się cieszył, że zaczął biegać wokół niej, podskakując na czterech łapach i popiskując, by pokazać jej, jak się cieszy.

Podniosła go, a on zaczął ją lizać po twarzy, chcąc ją przywitać.

Pocałowała go w łebek, pocierając policzkiem o jego miękką, złocistą sierść.

– Ledwie mogę go utrzymać, tak mocno merda ogonem – zachichotała.

– Zdaje się, że mógł się odrobinkę za tobą stęsknić – powiedziała mama, przechylając głowę w bok i udając, że się nad tym zastanawia.

Dziewczynka uśmiechnęła się do siebie. Nie chciała, żeby Smykowi było smutno, ale miło było się dowiedzieć, że też za nią tęsknił.

Nie minęło wiele czasu, a Smyk był już wystarczająco duży, by chodzić na spacery. Uwielbiał je, podobnie jak Milena. Kłopot polegał na

tym, że Smyk bardzo się ekscytował wychodzeniem na dwór, więc cały czas szczekał, piszczał i podskakiwał, a gdy wracali do domu, był tak zmęczony, że Milena musiała go nieść.

– Myślę, że przyda mu się szkolenie dla psów – stwierdził tata, patrząc, jak Smyk wymachuje łapkami przez sen po szczególnie ekscytującym spacerze w jeden z weekendów. Na spacerze Smyk otoczył smyczą nogi Milenki, a potem omal jej nie przewrócił, kiedy próbował dogonić wiewiórkę.

Dziewczynka skinęła głową, ale jej mina wyrażała lekki niepokój.

– Czy to szkolenie będzie bardzo trudne?

– Nie, nie martw się, nie proponuję, żebyśmy uczyli go skakania przez obręcze czy czegoś w tym stylu. Chodzi tylko o podstawy. Powinien nauczyć się, jak ładnie chodzić na smyczy, siadać, zostawać i tym podobne.

– Ahaaa – poweselała. To rzeczywiście wydawało się przydatne. Smyk był wspaniały i fajnie chodziło się z nim na spacery, ale potrafił ją zmęczyć.

Tata dowiedział się, że w sobotę rano w pobliskim parku odbywają się zajęcia dla psów, co bardzo mu odpowiadało, bo to oznaczało, że również może tam pójść razem z Milenką i ze Smykiem. Po tym jak Milena dowiedziała się, że szczeniak nie będzie musiał robić niczego zbyt trudnego, była bardzo podekscytowana. Wyprosiła u mamy kupno specjalnej paczki przysmaków dla szczeniąt, by mogli je z sobą zabrać i nagradzać nimi Smyka.

Jacek był bardzo zawiedziony, że nie może pójść na zajęcia, chociaż mama obiecała mu, że również zrobią razem coś fajnego. W sobotni poranek niemal wpadł w histerię i Milena miała lekkie wyrzuty sumienia. Chłopczyk też naprawdę kochał Smyka.

– Myślę, że mogliśmy pójść wszyscy razem – powiedziała do taty, gdy szli alejką przed domem, a Jacek

wyglądał za nimi przez okno i po twarzy wciąż ciekły mu łzy.

Tata pokręcił głową.

– To bardzo miło z twojej strony, ale Jacek jest za mały. Te zajęcia są dla nas, nawet w większym stopniu niż dla Smyka. To my nauczymy się, jak powinniśmy go szkolić. Nie moglibyśmy się skupić, gdyby Jacek poszedł z nami. Przecież gadałby bez przerwy!

Milena zachichotała. Tata miał rację. Może później sama poprowadzi specjalne zajęcia dla psów w ogródku, by pokazać bratu, czego się nauczyli.

Park znajdował się bardzo blisko, ale Milena czuła się zmęczona, gdy dotarli na miejsce. Smyk chciał robić wszystko, tylko nie iść prosto. Zdecydowanie potrzebował tego szkolenia!

Na szczęście pani Łucja, instruktorka, okazała się bardzo miła, i stwierdziła, że Smyk na pewno szybko wszystkiego się nauczy.

– Zaczyna szkolenie w młodym wieku i tak być powinno. Śliczny piesek – dodała, głaszcząc Smyka. Pani Łucja uznała, że najlepiej będzie, jeśli to Milena zajmie się szkoleniem, a tata będzie się przyglądał i pomagał. – Lepiej, jeśli tylko jedna osoba będzie mu wydawała polecenia, inaczej mógłby się poczuć zdezorientowany – wyjaśniła.

Milena nie mogła się doczekać, kiedy opowie mamie i Jackowi o wszystkim, co robili, lecz gdy wrócili do domu, chłopiec nie był tym zainteresowany.

– Nie chcę patrzeć – bąknął, gdy próbowała mu pokazać, jak Smyk chodzi przy nodze.

Mama posłała jej przepraszające spojrzenie.

– Jest ciągle obrażony – szepnęła. – Czyli zajęcia dobrze poszły? Smyk wykonywał polecenia?

Tata i Milena wymienili zmieszane spojrzenia.

– Czasami – stwierdziła dziewczynka. – Nawet na chwilę zostawał, ale nie szło mu najlepiej z zadaniem, kiedy miał tylko siedzieć i patrzeć na psie ciasteczko, ale nie mógł go zjeść bez polecenia.

Zjadł aż cztery!

Smyk siedział pod kuchennym stołem, dysząc i odsłaniając wszystkie zęby w szerokim psim uśmiechu. Widać, że jemu również podobało się szkolenie...

Jacek przez cały weekend dąsał się z powodu szkolenia, ale w poniedziałek rano niespodziewanie się rozpogodził. Zdawało się, że tylko czeka, aż siostra pójdzie do szkoły i zostawi go samego ze Smykiem.

Milena zastanawiała się, co też chłopcu chodzi po głowie. Bez wątpienia miało to coś wspólnego ze szczeniakiem. Nauczyciel dwa razy zwracał jej uwagę, że nie uważa na lekcji, a za drugim razem był już na nią rozgniewany. Nie była więc w najlepszym nastroju, gdy mama i Jacek po nią przyszli, a widok miny zadowolonego z siebie brata jeszcze dodatkowo popsuł jej humor.

– Co robiłeś? – warknęła. – Lepiej dla ciebie, żeby nie okazało się, że cały dzień wygłupiałeś się ze Smykiem. To mój pies!

– Mileno! – skarciła ją mama. – Nieładnie tak mówić!

Dziewczynka wbiła wzrok w ziemię, jeszcze bardziej zła na Jacka.

Chłopiec uśmiechnął się do niej.

– Też robię psie szkolenie! – oznajmił z dumą.

– Jacek też będzie chodził na zajęcia? – Milena posłała mamie zdziwione spojrzenie. – Ale tata mówił...

– Nie twoje szkolenie. To nuda. Moje szkolenie. Uczę Smyka śpiewać – Jacek niespodziewanie zatańczył na chodniku, głośno śpiewając do siebie.

Westchnęła. Jej brat bywał taki głupiutki.

– Na pewno jest w tym lepszy od ciebie! – zawołała za nim.

Milena i mama spodziewały się, że lekcje śpiewu potrwają jeden dzień, ale o dziwo Jacek je kontynuował. Co jakiś czas znikał ze Smykiem i dąsał się, jeśli ktoś próbował się przyłączyć.

Potem pewnego piątkowego popołudnia, gdy tata wrócił do domu, chłopiec pojawił się w kuchni, wyraźnie bardzo zadowolony z siebie.

– Ja i Smyk chcemy wam coś pokazać! – oznajmił z satysfakcją.

Mama i Milena wymieniły zdziwione spojrzenia.

– Chodzi o wasze śpiewanie? – spytała uprzejmie mama.

Skinął głową.

– Wszyscy musicie posłuchać. Usiądź, tato – nakazał Jacek.

Tata chciał właśnie włączyć czajnik, ale uśmiechnął się i usiadł na krześle.

– No to zaczynajcie. Gdzie nasz gwiazdor?

Chłopiec otworzył drzwi kuchni i wyjrzał.

– Smyk! Smyczku! Chodź!

Piesek wszedł do środka.

– Wszyscy ćśśś! – syknął Jacek. Usiadł na podłodze ze Smykiem i zaczął śpiewać „Były sobie świnki trzy”.

Smyk zamerdał ogonem, podniósł nosek w stronę sufitu i zaczął szczekać w rytm.

– Hau, hau, hau, hau, hau, hau...

Gdy skończyli przeciągłym wyciem szczeniaka, w kuchni zapadło pełne oszołomienia milczenie.

– Czy to mi się przyśniło? – spytał tata.

Milena pokręciła głową.

– Nie, naprawdę to zrobił! – uklękła, by pogłaskać pieska. – Ale z ciebie mądry pies! Nie do wiary, że go tego nauczyłeś, Jacku, to niesamowite!

– Teraz nauczymy się piosenki „Stokrotka" – oznajmił Jacek, bardzo zadowolony z reakcji rodziny – ale to trochę trudniejsze.

Po kilku tygodniach Smykowi szło już znacznie lepiej także na prawdziwym szkoleniu, zupełnie jakby zrozumiał, na czym ono polega. Milena podczas zajęć była z niego niezwykle dumna. Był bardzo młody w porównaniu z innymi psami, ale należał do tych, którym szło najlepiej.

– Smyk, siad! – Milena stała tuż przed nim. Piesek podniósł na nią pytający wzrok. Ale znał już to polecenie. Opadł zadkiem na ziemię, z radością zamiatając trawę ogonem.

– Dobry piesek. A teraz... zostań! – odwróciła się i odeszła.

Smyk patrzył na Milenę niepewnie. W pierwszej chwili chciał za nią iść, lecz wiedział, że mu nie wolno. Zaskamlał cicho w nadziei, że dziewczynka do niego wróci.

Odwróciła się.

– Zostań! – powtórzyła z naciskiem.

Smyk westchnął. Patrzył na Milenę z przechylonym łebkiem i czekał. A teraz dziewczynka go zawołała. Podskoczył i popędził w jej stronę, z radością brykając wokół niej.

– Bardzo dobrze mu idzie, Mileno, ciężko z nim pracowałaś – pani Łucja uśmiechała się do Smyka. – Wspaniały piesek – pogłaskała go pod brodą i Smyk z rozkoszą przymknął oczy. – Dobrze, proszę państwa, przećwiczymy to jeszcze kilka razy.

Milena znowu kazała Smykowi usiąść i wróciła na drugi kraniec pola treningowego. Szczeniak czekał bardzo grzecznie, a dziewczynkę rozpierała duma. Obok taty stało kilka osób obserwujących zajęcia i Milena wyobrażała sobie, że wszyscy sobie

myślą, jaki to grzeczny pies z tego Smyka. Jedna para wydawała się szczególnie zainteresowana psami i dziewczynka była niemal pewna, że widzi, jak pokazują go sobie palcami. Mieli z sobą ślicznego pointera. Może też chcieli zapisać go na szkolenie, choć wydawał się trochę stary.
Na oczach dziewczynki pointer na wpół odwrócił głowę, by popatrzeć na psa, który szedł za nim, a wtedy mężczyzna mocno szarpnął smycz.

Pies skulił się przy nogach pana, garbiąc się i wyglądając bardzo żałośnie. Milena aż jęknęła. To było takie brutalne!

Mężczyzna zauważył, że Milena na niego patrzy, i uśmiechnął się do niej. Ale ona szybko spuściła wzrok. Niemal zapomniała o Smyku i odwróciła się, by go zawołać.

Piesek trochę się znudził czekaniem i też zaczął myśleć, że dziewczynka o nim zapomniała. Przesuwał się powolutku w jej stronę na swoim zadku, a jego pyszczek mówił: „Proszę, nie zbesztaj mnie!".

Milena zachichotała. Był taki zabawny!

Wkrótce przestała myśleć o parze z pointerem zbyt zajęta Smykiem.

Pod koniec zajęć tata pochwalił ich oboje i wszyscy radośnie szli w stronę wyjścia z parku, gdy Smyk odwrócił się szczeknął. Pointer był tuż za nim i szczeniak chciał się przywitać.

– Oj, przepraszam – zwrócił się tata do mężczyzny, który trzymał smycz. – Czy pański pies jest łagodny? Smyk nie poznał jeszcze zbyt wielu psów i trochę się ekscytuje takimi spotkaniami.

Milena zgromiła ojca wzrokiem. To nie było w porządku. Smyk lubił spotykać inne psy, ale tamci nie powinni dopuszczać swojego pointera tak blisko, jeśli nie chcieli, żeby Smyk z nim rozmawiał.

– Nie ma obaw! Albert jest bardzo łagodny – odparł mężczyzna z uśmiechem.

Zdaniem Mileny pointer wcale nie wyglądał na łagodnego. Wyglądał, jakby bardzo się bał reprymendy, jeśli cokolwiek zrobi źle. Pies odsuwał się od swojego pana, a do przesady uprzejmy głos mężczyzny miał w sobie coś, co przyprawiało dziewczynkę o dreszcze. Nie ufała mu.

– Macie wspaniałego szczeniaka – odezwała się kobieta, która z nim była. – Czy to rasowy labrador?

Tata odpowiedział, że Smyk to rzeczywiście rodowodowy labrador, i wymienił nazwę hodowli, z której pochodził. Para była tym bardzo zainteresowana i zadawała wiele uprzejmych pytań, lecz Milena i tak nie czuła sympatii do tych ludzi. Ciągnęła tatę za rękę, by już szli, ale nie zwracał na nią uwagi.

– Taaato... możemy iść? – mruknęła.

Opuścił na nią zaskoczony wzrok.

– Poczekaj chwilę, Milenko, tylko rozmawiamy – zmarszczył brwi, robiąc minę, która oznaczała: „Zachowuj się!”, a dziewczynka skrzywiła się w odpowiedzi. Czy tata nie widział, że to nie są mili ludzie?

Kobieta przykucnęła, by pogłaskać Smyka, który przybliżył się do Milenki i warknął.

– Smyk! – tata wydawał się wstrząśnięty, ale dziewczynka się ucieszyła. Nie chciała, żeby go dotykali!

Kobieta uśmiechnęła się.

– Proszę się nie przejmować – powiedziała. – Pewnie pachnę Albertem, a jemu się to nie podoba.

Smyk przytulił się do Milenki, wciąż warcząc, ale cicho, tak by tylko ona go usłyszała. Smyk wyczuwał, że kobieta nie pachniała tylko Albertem, pachniała wieloma psami. Wieloma nieszczęśliwymi psami, dlatego nie chciał znaleźć się w jej pobliżu. Smyk nie chciał skończyć jak Albert.

Tata i Milena ruszyli do domu, a Smyk truchtał obok, idąc przy nodze, tak jak go nauczono. Co jakiś czas dziewczynka musiała mu o tym przypominać, ale już niezbyt często.

Tata jednak nie pochwalił tego, jak dobrze Smyk się spisuje.

– Mileno, to było bardzo niegrzeczne. Umiesz się lepiej zachowywać. Co się z tobą stało?

Wzruszyła ramionami. Brzmiało to dość głupio, gdy dziwna para została już w tyle.

– Po prostu nie wydawali się zbyt mili – bąknęła. – Nie podobało mi się, że tak się interesowali Smykiem.

– Mileno, ci ludzie byli bardzo mili. Nie mów głupstw – odpowiedział tata.

– Ale Smykowi też się nie spodobali! – zaprotestowała. – Psy umieją rozpoznać, jacy ludzie są naprawdę!

– Smyk po prostu podchwycił twoje złe zachowanie – stwierdził surowo tata. – Nie chcę, żeby któreś z was kiedykolwiek tak postępowało. A teraz chodźmy do domu.

Milena szła obok niego, patrząc na chodnik, i wkrótce skręcili w swoją ulicę. Była przekonana, że tata się myli. Wiedziała, że to ona ma rację, nie ufając tym ludziom.

Smyk podniósł na nią zaniepokojony wzrok, wyczuwając, że coś jest nie tak. Nagle sierść zjeżyła mu się na karku i obejrzał się za siebie. Jego niskie warczenie wyrwało Milenę z ponurego zamyślenia i odwróciła się, by sprawdzić, co takiego zobaczył.

Para z pointerem doszła właśnie do końca ulicy. Patrzyli w ich stronę...

Rozdział trzeci

Teraz, gdy Smyk już tak ładnie chodził na smyczy, mama pozwoliła wziąć go na spacer w drodze do szkoły w poniedziałek rano. Uprzedziła jednak, że tak nie będzie codziennie, bo ciężko byłoby jej radzić sobie i ze Smykiem, i z Jackiem.

Po drodze spotkali wiele koleżanek Mileny ze szkoły i wszystkie zachwycały się Smykiem.

– Jaki śliczny! – wykrzyknęła jej przyjaciółka Zuzia, drapiąc szczeniaka za uszami. – Masz szczęście, Milenko, moi rodzice nigdy nie pozwoliliby mi mieć psa.

Milena uśmiechnęła się i posłała mamie krótkie, wdzięczne spojrzenie. A potem zamarła, a serce skoczyło jej do gardła. Zobaczyła znowu tę parę

z parku! Parę z psem Albertem! Byli to państwo Waliccy, tak przedstawili się tacie. Minęli ich, idąc drugą stroną ulicy. Albert wyglądał jeszcze smutniej niż w sobotę – dreptał z opuszczoną głową i zwieszonym ogonem.

– Co się stało, Milenko? – spytała mama z zaciekawieniem i też na nich spojrzała.

– N... nic... – dziewczynka nie chciała mówić niczego, co mogłoby głupio zabrzmieć, tym bardziej w obecności Zuzi. – Po prostu zobaczyłam kogoś z psiego szkolenia.

Tamci mieli przecież prawo chodzić sobie po mieście. Może mieszkali akurat przy którejś z ulic w pobliżu szkoły, domu Mileny i parku? Nie opuszczało jej jednak dziwne uczucie, że obserwują ją... i Smyka.

Milena starała się nie przejmować mężczyzną i kobietą z pointerem. Tata był taki pewny, że nie ma powodu do obaw. Mimowolnie jednak oglądała się co jakiś czas przez ramię w drodze ze szkoły do domu, a także później, gdy szła na lekcję tańca.

Tego wieczoru, gdy kładli się spać, przytuliła Smyka wyjątkowo mocno. Mama trochę się martwiła, że Smyk śpi w łóżku dziewczynki, ale w domu zachowywał się już jak należy, a w dodatku wył, jeśli zostawiło się go na parterze. Milena była przekonana, że śpi znacznie lepiej, gdy przy jej stopach leży skulony szczeniak, choć tato zauważył, że trzeba będzie kupić większe łóżko, kiedy już Smyk będzie w pełni wyrośniętym psem!

Smyk uwielbiał spać na łóżku dziewczynki i żył w przekonaniu, że jego własne posłanie służy tylko do drzemek w ciągu dnia. Nie było mowy, by pozwolił dziewczynce położyć się do łóżka, nie strzegąc jej bezpieczeństwa.

Tej nocy piesek smacznie spał, gdy nagle kołdra, stanowiąca jego wygodne posłanko, przesunęła się. Otworzył jedno oko i kołdra poruszyła się znowu. Tym razem usiadł i szczeknął cicho, z oburzeniem. Co też Milena wyprawiała? Smyk widział tylko skuloną postać dziewczynki. Delikatnie podreptał w górę łóżka, by przyjrzeć się dokładniej temu, co się dzieje.

Milena coś mówiła i jęczała przez sen, uderzając rękami w poduszkę. Podenerwowany Smyk zaskamlał jej prosto do ucha, próbując ją obudzić, ale tego nie usłyszała. Przez chwilę patrzył na nią z niepokojem. Coś wyraźnie było nie w porządku.

Wetknął wilgotny nosek pod jej podbródek, wiedząc, że tym sposobem ją obudzi.

– Oooch! – Milena usiadła, a na jej twarzy malowały się jednocześnie ulga i strach. Przytuliła Smyka. – Oj, Smyku, to było straszne! Miałam dziwny sen o tych ludziach, których widzieliśmy w parku – wzruszyła ramionami i piesek polizał ją ze współczuciem. Nie rozumiał, o co jej właściwie chodzi, ale wyraźnie była cała w nerwach.

Pokręciła głową, oszołomiona. Nie pamiętała dokładnie całego snu, a jedynie pomieszane obrazy wielu psów, szczekających ponuro. Była jednak pewna, że sen był okropny, i nie chciała przypominać sobie nic więcej.

Smyk skulił się obok niej, próbując jej powiedzieć, że wszystko będzie dobrze.

– Oj, Smyku... – oszołomiona położyła się z powrotem. – Tak cię kocham.

To akurat piesek rozumiał. Milena często mu to mówiła i wiedział, że to bardzo ważne.

Piesek mocno przytulił się do dziewczynki, jakby też chciał pokazać jej, że bardzo ją kocha i że zawsze będzie przy niej. Potem położył się przy jej ramieniu, pewien, że nie spotka jej nic złego, dopóki on jest przy niej i jej pilnuje.

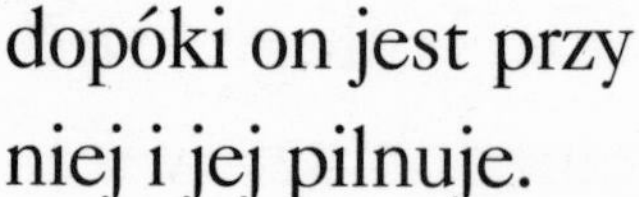

Gdy następnego dnia Milena wróciła ze szkoły, Smyk nie wybiegł jej na spotkanie. Zwykle czekał przy drzwiach i szczekał radośnie, czekając na pieszczoty, lecz dzisiaj nie było tego dokazującego, hałaśliwego kłębka złocistej sierści. Milena sprawdziła na górze, podczas gdy mama pomagała Jackowi zdjąć kurtkę. Gdy wróciła na dół, mama szykowała coś do jedzenia i tłumaczyła chłopcu, że nie może codziennie jeść paluszków rybnych i czasami musi się zgodzić na makaron. Nawet nie zauważyła, że córka wybiegła do ogródka szukać Smyka.

Nie było go tam. Właściwie nawet się nie spodziewała, że go tam znajdzie – mama nie zostawiłaby go w ogródku, idąc po nią do szkoły – ale dziewczynka zaczęła się już bardzo denerwować. Smyka nie było na górze, najwyraźniej na dole też nie, więc skoro nie było go także w ogródku... to gdzie był?

– Mamo, nie mogę znaleźć Smyka! – wykrzyknęła, wpadając z powrotem do kuchni.

– Nie trzaskaj drzwiami! – pouczyła ją mama, szukając czegoś w lodówce.

– Przepraszam, mamo, ale gdzie jest Smyk?

– Pewnie śpi na górze. Zdaje się, że tam właśnie był, kiedy wychodziliśmy – jednak tak naprawdę ciągle nie zwracała na nią uwagi. – Albo może jest w ogródku?

– Już szukałam w ogródku! – Milena złapała mamę za ramię, rozpaczliwie prosząc, by kobieta zaczęła jej słuchać. – Na górze też go nie ma, sprawdziłam. Nie ma go nigdzie, mamo!

– Musi gdzieś być... – teraz mama wyraźnie skupiła się już na rozmowie, ale najwyraźniej nie zdawała sobie sprawy, z powagi sytuacji. – Pewnie przypadkiem zamknęłam go w którymś pokoju, kiedy odkurzałam. Idź i sprawdź wszystkie pokoje, Mileno.

Jacek wyjrzał zza stołu, gdzie bawił się swoimi koparkami.

– Nie, mamusiu, Smyk jest u pani – oznajmił.

Milena i mama spojrzały na niego i dziewczynka aż jęknęła z przerażenia.

– U... jakiej pani? – spytała, niemal nie mogąc wydobyć z siebie głosu.

Chłopiec wzruszył tylko ramionami.

– U tej, która przyszła pożyczyć Smyka, kiedy byłaś na górze, mamo.

Matka uklękła przy jego krześle i próbowała wydobyć od niego konkretniejsze wyjaśnienia, ale ciężko było uzyskać więcej szczegółów. W każdym razie udało im się ustalić, że jeździł na swoim rowerku w ogródku i jakaś kobieta weszła przez tylną furtkę. Powiedziała, że tylko pożycza Smyka i że później go odda.

– Jak wyglądała? – spytała Milena. – Powiedz!

– Normalna pani! – w głosie Jacka pobrzmiewały teraz złość i strach. Nie rozumiał, dlaczego siostra się na niego gniewa, a mama ma tak przerażoną minę. – A... – przypomniał sobie pewien szczegół. – Miała czerwone rękawiczki – oznajmił radośnie. – Smykowi się nie podobały, bo próbował je gryźć – uśmiechnął się do siostry, licząc, że teraz będzie z niego zadowolona, ale ona płakała, więc i on się rozpłakał. – Kiedy ta pani odda Smyka? – spytał żałosnym tonem.

– Mamusiu, kiedy Smyk wróci do domu?

Mama Mileny zadzwoniła na policję. Trwało to bardzo długo i ciągle przełączano ją do kolejnych osób, ale dzieci cały czas stały obok niej, nasłuchując i próbując się zorientować, co się dzieje. W końcu odłożyła telefon i skinęła na nie, by usiadły z nią na kanapie.

– Milenko, pan policjant, z którym rozmawiałam, prowadzi teraz dochodzenie. W naszej okolicy działa pewien... pewien gang porywaczy psów.

– Porywaczy psów? – Milena nawet o czymś takim nie słyszała. Jacek tylko się przysłuchiwał, z szeroko otwartymi ustami i łzami w oczach. Siostra z nim nie rozmawiała, a on chciał, żeby Smyk wrócił. Chłopiec był zrozpaczony.

– Ci ludzie kradną psy – powiedziała powoli mama, obejmując ich oboje. – Wiele rasowych psów zniknęło ostatnio, zwłaszcza młodych.

– Ale co się z nimi dzieje? – szepnęła dziewczynka. Ciągle próbowała zrozumieć, co się stało... Czy to możliwe, że ktoś ukradł Smyka!?

Mama wydawała się bardzo zdenerwowana. Wzięła Milenę za rękę.

– Ten policjant przyjedzie tutaj i opowiemy mu dokładnie, co się wydarzyło. My też możemy zadawać mu pytania.

To powinno być ekscytujące, że do domu przyjdzie policjant, zupełnie jakby dziewczynka brała udział w jakiejś historii przygodowej pod tytułem „Sprawa skradzionych psów”. Ale teraz tak nie było. Zdecydowanie wolałaby mieć Smyka z powrotem przy sobie i nie przeżywać tego rodzaju przygód.

Jacek był z początku zachwycony, że na zewnątrz stoi prawdziwy radiowóz, ale potem policjant chciał go zapytać, jak to było, kiedy zabrano Smyka, a chłopiec bardzo się zawstydził i nic nie chciał powiedzieć. Milena miała ochotę na niego nakrzyczeć – była wściekła, że brat po prostu sobie jeździł na swoim rowerku, kiedy Smyka skradziono, i nic nie zrobił!

Policjant zapisał w notesie, jak wygląda Smyk, a później pochwalił ich, że tak szybko go zawiadomili.

– Niestety, to cenny pies, a w dodatku bardzo młody, więc łatwo im będzie go sprzedać.

Milena popatrzyła na niego zupełnie zdezorientowana.

– Ale odzyskamy go, zanim go sprzedadzą, prawda? Znajdzie go pan?

Policjant popatrzył na nią smutno, a potem tak dziwnie zakaszlał.

Mama przez chwilę nic nie mówiła. Później mocniej przytuliła córkę.

– Milenko, policja na pewno zrobi wszystko, co w jej mocy, ma się rozumieć, ale ci porywacze psów są bardzo dobrze zorganizowani. Najwyraźniej ten gang potrafi sprawić, by pies po prostu zniknął.

Dziewczynka przełknęła ślinę.

– Czyli... możemy nie odzyskać Smyka? – łzy popłynęły jej po policzkach i zaczęła pociągać nosem. Było jej wszystko jedno. Wbiła wzrok w policjanta, który wydawał się zupełnie nie na miejscu w ich salonie. – Możemy już nigdy go nie zobaczyć?

Rozdział czwarty

Zamknięty w ciemności Smyk wył do Milenki, by przyszła i go odnalazła. Dla Smyka było to znacznie gorsze przeżycie niż zostawanie samemu w domu, gdy domownicy wychodzili do szkoły, przedszkola czy na zakupy. Dreptał nerwowo po małej drucianej klatce, wyczuwając dziwne zapachy. Na pewno były tu inne psy. Słyszał, jak szczekają i skamlą, smutne, że je zamknięto. Smyk był pewien, że w tej klatce mieszkało przed nim przynajmniej pięć innych psów. Nie rozumiał, co to wszystko znaczy.

Szczeniak jednego był pewien: nie powinien był pozwolić, żeby kobieta w czerwonych rękawiczkach karmiła go psimi przysmakami. Gdy otworzyła furtkę, Smyk myślał, że to normalne, że tam jest, zwłaszcza iż miała te same przysmaki, które dawała mu Milena, gdy dobrze się spisywał na szkoleniu. Potem kobieta zawołała go. Znała jego imię, a te przysmaki tak ładnie pachniały i Smyk nie wyczuł zagrożenia. Ale ona nie pachniała dobrze, a potem złapała psa za obrożę, wyciągnęła z ogródka i wepchnęła do bagażnika dużego samochodu. Smyk szczekał i próbował powiedzieć Jackowi, by sprowadził pomoc, ale chłopiec tylko patrzył, wyraźnie zdezorientowany. Naprawdę straszne było to, że Smyk nie wiedział, jak się wydostać z tej klatki ani z dużej, drewnianej szopy, gdzie zamknięto go razem z innymi psami. Nie wiedział, jak ma wyjść i znaleźć Milenę. Mógł ją tylko wołać, lecz jak ona mogła go usłyszeć?

Milena nie mogła się pogodzić ze zniknięciem Smyka. Ciągle miała nadzieję, że lada chwila wyskoczy zza kanapy i zamerda wesoło ogonem, jakby to była tylko zabawa.

Każdego popołudnia po szkole razem z mamą i Jackiem wychodzili na poszukiwanie szczeniaka. Dziewczynka przy użyciu komputera zrobiła plakaty ze swoim ulubionym zdjęciem Smyka i podała numer telefonu.

Wchodzili do wszystkich sklepów przy głównej ulicy i pytali, czy mogą powiesić plakaty. W większości wypadków w sklepach chętnie im pomagano, ale niestety nikt nie zadzwonił z informacjami. Jeden z plakatów zaniosła też do szkoły i poprosiła wszystkich przyjaciół, żeby rozglądali się za Smykiem.

Niektóre koleżanki wzięły też od niej plakaty, by wywiesić je w swoich oknach.

Mimo tych wszystkich zajęć tydzień zdawał się dłużyć bez końca. Policjant obiecał, że się z nimi skontaktuje, jeśli pojawią się jakieś nowe szczegóły, ale najwyraźniej nie przypuszczał, by mieli odzyskać psiaka, który jakby rozpłynął się w powietrzu. Milenki nic nie obchodził brak postępów. Nie zamierzała się poddać – jak mogła, skoro wszystko, na co spojrzała w domu, przypominało jej Smyka? Jego miska, czerwona smycz, koszyk. Najgorsza zaś była nocna pustka na skraju łóżka.

W sobotę tata zabrał Milenę na szkolenie dla psów. Był dość zaskoczony, gdy spytała, czy mogą iść, ale wyjaśniła, że chce wszystkich ostrzec, by uważali na porywaczy, a także poprosić, by wypatrywali Smyka.

Okropnie było iść do parku bez pieska. Tata ściskał ją za rękę, gdy przechodzili przez bramę, a ona zamrugała powiekami, by powstrzymać łzy. Nie mogłaby mówić, gdyby zaczęła płakać.

Pani Łucja, instruktorka, była zaskoczona ich widokiem. Najwyraźniej zastanawiała się, gdzie się podział Smyk. W tym momencie Milenie jeszcze bardziej zachciało się płakać. Gdy jednak tata wytłumaczył, co zaszło, pani Łucja zawołała wszystkich do siebie.

– Niestety, Milenka ma okropne wieści o swoim ślicznym pupilu, Smyku.

Dziewczynka przełknęła ślinę.

– Smyka ukradziono – wyjąkała. Głos jej się łamał, ale wszyscy wyraźnie jej współczuli, więc wzięła głęboki wdech i mówiła dalej. – Policja mówi, że w okolicy grasuje gang złodziei psów, więc proszę, bardzo proszę, nie dajcie im zabrać żadnego

z waszych psiaków. I proszę, rozglądajcie się za Smykiem, może to nam pomoże... – po tych słowach rozpłakała się na dobre.

Wszyscy zebrali się wokół, obiecując szukać Smyka i mówiąc, że na pewno się znajdzie. Wiele psów czule lizało dziewczynkę. W końcu

tata powiedział, że powinni już iść, by pani Łucja mogła kontynuować zajęcia.

Gdy już wracali do domu, Milena stanęła nagle jak wryta, a serce mocniej jej zabiło. Znowu zobaczyła tych dwoje! Obserwowali zajęcia.

– Co się stało? – spytał łagodnie tata.

– To ci ludzie! Ci, którzy wypytywali o Smyka! – wbiła w nich spojrzenie. Znowu prowadzili pointera, który człapał przy nich ze zwieszonym ogonem. „Nikt, kto naprawdę kocha zwierzęta, nie mógłby mieć tak nieszczęśliwego psa" – pomyślała dziewczynka. Czy to nie podejrzane, że Smyk zniknął zaledwie kilka dni po tym, jak ci ludzie tak się nim zainteresowali? Przecież tak bardzo chcieli się dowiedzieć, czy jest cennym, rodowodowym psem. Gniewnie popatrzyła na kobietę, nie dbając o to, że jest nieuprzejma. Kobieta podchwyciła jej spojrzenie i powiedziała coś do mężczyzny. Milena była pewna, że widzi w jej oczach poczucie winy.

Wtem dziewczynce zaparło dech. Gwałtownie pociągnęła tatę za rękę.

– Zobacz! – wydusiła z siebie.

– O co chodzi?

– Ona nosi czerwone rękawiczki! – wykrztusiła. – Nie pamiętasz? Jacek mówił, że pani, która zabrała Smyka, miała czerwone rękawiczki! Wszystko się zgadza, to oni, porywacze psów!

– Mileno, wiem, że jesteś zdenerwowana, ale nie można nikogo oskarżać o kradzież psa tylko z powodu rękawiczek – tata wydawał się zakłopotany. Był niemal pewien, że tamci słyszeli, co powiedziała jego córka.

Milenka patrzyła gniewnym wzrokiem, gdy para zbliżyła się do bramy. Jak tata mógł nie skojarzyć tych faktów? To było oczywiste!

Kobieta uśmiechnęła się ze współczuciem, gdy się mijali.

– Słyszeliśmy, jak ludzie ze szkolenia mówili, że skradziono ci szczeniaka – powiedziała, patrząc prosto na Milenę. – Tak mi przykro. Jest taki uroczy. Mam nadzieję, że go odzyskasz.

Mężczyzna pokręcił głową.

– Nie wyobrażam sobie, jak bym się czuł, gdyby ktoś zabrał Alberta.

Sprawiali wrażenie szczerych. Milena wbiła wzrok w ziemię. Czuła się całkowicie zdezorientowana. Była pewna, że to jest kobieta, którą opisał Jacek, ale... może to tata miał rację? Czy to nie głupie posądzać kogoś o kradzież psa tylko z powodu czerwonych rękawiczek?

Rozdział piąty

Tego wieczoru Milena bardzo długo nie mogła zasnąć. Siedziała przejęta na łóżku, rękami obejmując kolana. A jeśli to naprawdę ta podejrzana para zabrała Smyka? Zadrżała na myśl, że szczeniak może być u nich. Wydawali się mili, ale widziała, jak okropnie traktują pointera Alberta i po prostu wyczuwała w nich coś niepokojącego. Smyk też wyraźnie to wyczuł, a przecież mówi się, że psy zawsze umieją ocenić człowieka. Tak czy owak, Milenka biła się z myślami, czy powinna coś zrobić. Pytanie tylko – co? Zastanawiała się, czy nie zadzwonić do tego policjanta, ale właściwie dlaczego miałby jej uwierzyć? Nie miała przecież żadnego dowodu, ani nie była tego stuprocentowo pewna.

W końcu zasnęła, ale spała bardzo niespokojnie. Zdawało jej się przez sen, że słyszy Smyka, który ją woła! Słyszała nie tylko Smyka. Wiele psów szczekało, skamlało i drapało, by wypuścić je z klatek. Tak, były uwięzione i bardzo zdenerwowane. Dziewczynka zadrżała i nogami zrzuciła z siebie kołdrę. We śnie pojawiła się ta podejrzana para. To oni ukradli Smyka! Milena była o tym przekonana.

W tej właśnie chwili obudziła się z krzykiem. Była mocno przestraszona. Bez namysłu wyciągnęła rękę na skraj łóżka, by przywołać Smyka, lecz jego oczywiście tam nie było. Milena siedziała, trzęsąc się i cicho pochlipując. Musiała coś zrobić. Teraz była już pewna, że tamta para z parku to porywacze psów. Po prostu to wiedziała.

Teraz musiała jeszcze zdecydować, co powinna z tym zrobić.

W jakiś sposób Milence łatwiej było zasnąć, gdy już podjęła decyzję, i po przebudzeniu czuła się znacznie lepiej. Ale tak naprawdę wcale się nie przybliżyła do odzyskania Smyka. Jedyną wskazówką było przypuszczenie, że ci złodzieje psów muszą mieszkać w pobliżu, skoro widziała ich po drodze do szkoły i w parku. Ale w czym miało jej to pomóc? Nie mogła przemierzać ulic i ich szukać.

– Widziałam ich dwa razy na szkoleniu dla psów – mruknęła do siebie. Może tam warto ich poszukać? A potem przełknęła ślinę. No jasne! Widziała ich na szkoleniu dla psów, bo tam właśnie wyszukiwali szczenięta, które potem kradli! Było to idealne miejsce, żeby znaleźć wiele psiaków i pogawędzić sobie z ich właścicielami. Większość uczestników zajęć uwielbiała mówić o swoich psach i o tym, jakie są niezwykłe. Nie przyszłoby im do głowy doszukiwać się czegoś dziwnego w fakcie, że miła para z własnym psem z zainteresowaniem słucha tych opowieści. Przypuszczalnie ci ludzie odwiedzali wiele różnych szkoleń.

W głowie Mileny zaczął kiełkować plan. „Może jeśli wrócę na szkolenie, oni też tam będą i będę mogła pójść za nimi do domu? – pomyślała z podnieceniem. – A jeśli się dowiem, gdzie trzymają Smyka, mama i tata będą musieli mi uwierzyć!".

W niedzielę po południu pani Łucja także prowadziła zajęcia w parku. Teraz Milena musiała tylko jakoś skłonić rodziców, by ją tam zabrali. Nie zamierzała podać prawdziwego powodu, bo z pewnością by jej nie puścili, żeby „naprzykrzała się tym biednym ludziom". Już sobie wyobrażała, jak jej tata wypowiada te słowa. W tej sytuacji musiała posłużyć się sprytem.

Nietrudno było siedzieć na brzegu kanapy i udawać, że się smuci. Wprawdzie czuła się teraz trochę lepiej, bo miała plan, ale bez trudu potrafiła przywołać przygnębiające myśli na temat Smyka. Słyszała, że rodzice cicho rozmawiają. Osiągnęła to, że zauważyli jej przygnębienie!

– Powinna wyjść i zaczerpnąć nieco świeżego powietrza – dobiegł ją szept ojca. Podszedł raźno do kanapy i przesadnie radosnym tonem oznajmił: – Pora na spacer!

Jacek podniósł zagniewane spojrzenie znad swoich samochodzików.

– Nie chcę iść – mruknął.

Tata nie stracił nic ze swojej energii.

– Piłka! – krzyknął, aż chłopiec podskoczył. – Dalej, bierzcie piłkę, bierzcie kurtki, idziemy do parku!

Milena z niedowierzaniem pokręciła głową. Bardzo łatwo udało się zrealizować plan. Może częściej powinna próbować takich podstępnych zagrań? Trochę żałowała, że musieli zabrać też Jacka, zwłaszcza marudzącego Jacka, który przez całą drogę do parku jęczał, że mu zimno.

„Może to i dobrze, że wzięliśmy go z sobą" – pomyślała Milena, gdy patrzyła, jak tata próbuje rozweselić jej brata i obaj kopią do siebie piłkę. Jacek kładł się na trawie, dąsał i tata poświęcał mu tyle uwagi, że na nią prawie nie patrzył.

– Pójdę poćwiczyć kiwanie! – zawołała. Lekko kopnęła piłkę w stronę miejsca, gdzie odbywało się szkolenie, udając, że szereg drzew posłuży jej do treningu. Jacek właśnie skakał, wyrywając się z rąk taty i wyjąc.

Milena skryła się za dużym kasztanowcem o grubym pniu i zerknęła w stronę, gdzie odbywały się zajęcia dla psów. Na widok tak wielu ślicznych psów, najczęściej jeszcze szczeniąt, aż ją ścisnęło w żołądku i poczuła, że jej oczy znowu robią się mokre od łez. Jednak dziewczynka szybko się otrząsnęła. Jeśli chciała odzyskać Smyka, musiała być silna, bo płacz w niczym jej nie pomoże.

Milena uważnie spojrzała na trwające zajęcia. Był zimny dzień i niemal nikt nie zatrzymywał się, by obserwować trenujące psy. Tylko kilka osób zgromadziło się po przeciwnej stronie, ale trudno było coś zobaczyć... Potem ktoś się poruszył i zauważyła Alberta siedzącego smętnie obok mężczyzny, który rozmawiał z innym właścicielem psa. Kobieta stała obok niego w nieodłącznych czerwonych rękawiczkach i z czegoś się śmiała. Znowu tutaj są! To nie mógł być zbieg okoliczności. Milena poczuła, że jej palce zaciskają się w pięści na widok tej wesołej pogawędki. Zapewne próbowali zebrać informacje o kolejnym psie, którego zamierzali ukraść.

Nagle mężczyzna pociągnął smycz Alberta i zaczęli kierować się do wyjścia, machając ludziom, z którymi wcześniej rozmawiali.

Przerażona Milena patrzyła na to zza drzewa. Nie wiedziała, co teraz powinna zrobić. Jej plan kończył się na tym, aby się dostać do parku. Szybko obejrzała się za siebie. Zobaczyła, że tata i Jacek szli w jej stronę. Naburmuszony chłopiec wysuwał dolną wargę do przodu, ale przynajmniej już nie krzyczał.

– Przepraszam, Milenko – powiedział tata, wciąż siląc się na radosny ton. – Chodź, Jacku! Zobaczymy, czy Milena umie nas minąć z piłką, co?

Dziewczynka w panice popatrzyła na uczestników zajęć. Znajoma para kierowała się właśnie do jednej z bocznych bram parku. Milena zupełnie nie wiedziała, co robić. Z pewnością nie przekona ojca, by ich śledzić, a jeśli powie, że chce już wracać do domu, to nie wyjdą tą bramą.

Nadeszła pora na rozpaczliwy krok. Dziewczynka podbiegła do piłki, wykonała kilka zwodów, by wprawić tatę i Jacka w odpowiedni nastrój, a potem kopnęła piłkę w zupełnie złym kierunku – w stronę bramy.

– Oj! Przepraszam! – zachichotała. – Pójdę po nią!

Pognała za piłką, która wciąż się toczyła. Blisko bramy rosła kępa dużych krzewów i dziewczynka udawała, że szuka w nich piłki. Potem po prostu przecisnęła się przez krzaki i wybiegła za bramę.

Tata się wścieknie, kiedy się dowie, co zrobiła, ale w tej chwili Milena nie miała czasu o tym myśleć.

Musiała uratować Smyka!

Rozdział szósty

Milena szybko obejrzała się przez ramię, wychodząc z parku. Jacek znowu sprawiał kłopoty i tata był zajęty. Dzięki temu zyskała na czasie.

Para z pointerem pokonała połowę drogi i szła dość powoli, rozmawiając. Albert człapał obok z ogonem opuszczonym między nogami. Milena nigdy dotąd nie próbowała nikogo śledzić i tak naprawdę nie wiedziała, co robić.

Była niemal pewna, że rozpoznają ją, jeśli ją zobaczą, więc starała się trzymać poza zasięgiem ich wzroku. Podbiegła do pobliskiej skrzynki pocztowej i schowała się za nią, nerwowo przestępując z nogi na nogę. Gdy tylko czarno-biały ogon Alberta zniknął za rogiem na końcu ulicy, dziewczynka popędziła za nimi, po czym zatrzymała się i wyjrzała zza rogu, szczęśliwie zamaskowana przez rozłożysty, kolczasty krzak róży.

Śledziła ich dalej, czając się za latarniami i zaparkowanymi samochodami. Na szczęście na ulicy było niewiele osób, a gdy ktoś już przechodził obok, po prostu udawała, że wiąże trampki. Było to dziwne. Czuła się głupio, wskakując za drzewa, ale jednocześnie się bała. Jeśli naprawdę tropiła porywaczy psów, obawiała się tego, co będzie, jeśli ją zauważą. Na pewno nie ucieszą się na jej widok.

Po mniej więcej pięciu minutach dziewczynka wyjrzała zza kolejnego rogu i się przeraziła. Para zniknęła! Z mocno bijącym z przerażenia sercem, pognała na następną ulicę. Przecież nie mogła ich zgubić! To była jej jedyna szansa, bo gdy już tata ją dogoni, będzie miała szlaban do końca życia.

Nagle usłyszała jakieś głosy.

– No chodź, ty głupi psie – powiedział ktoś ze złością. Wydawało się, że głos dobiega z jednego z ogródków.

Milena wzięła głęboki wdech, starając się zachować spokój. Pomyślała, że może para mieszka w którymś z tych domów. Nabrała co do tego pewności, bo ulica była dosyć długa, więc jeśli nie puścili się biegiem, nie mogli aż tak jej wyprzedzić.

Przy ulicy stało wiele dużych, starych domów, w większości zaniedbanych i obskurnych. Niektóre miały okna zabite deskami i wyglądało na to, że nikt w nich nie mieszka. Murki wokół ogródków sięgały Milenie do ramienia. Pochyliła się i pobiegła w kierunku, z którego słyszała głos. Był to ostatni dom w szeregu, ze ścieżką z boku zagraconą śmieciami. Ogródek zarósł krzakami, więc wyjrzała zza furtki, niemal nie ważąc się oddychać, na wypadek gdyby ktoś usłyszał odgłos wydychanego powietrza wylatującego z jej ust. Dopiero teraz znalazła się tak blisko, że zaczęła myśleć, co mogłoby się stać, gdyby ją złapali. Widok ponurego mężczyzny ganiącego nieszczęsnego Alberta, który zatrzymał się na siusiu mniej więcej w połowie ścieżki, uświadomił jej, jak bardzo nie chce, by się dowiedzieli o jej obecności. Pobliskie domy wydawały się opustoszałe, miały powybijane okna i ogródki jeszcze bardziej zarośnięte niż ten. Milena zadrżała. Nie było tu nikogo, kto mógłby jej pomóc.

W końcu mężczyzna i kobieta weszli do środka i zatrzasnęli drzwi. Dziewczynka została, kucając przy bramie i czując się trochę głupio. Udało jej się dowiedzieć, gdzie mieszka tych dwoje. Ale co miała zrobić teraz?

W tylnym ogródku psy usłyszały trzaśnięcie drzwi wejściowych i zaczęły szczekać – chciały, by ktoś przyniósł im jedzenie, chciały wyjść i pobiegać, chciały, by ktoś je głaskał, przytulał i się nimi zachwycał. Smyk, zbudzony z płytkiego snu na starym kocu, który służył mu za posłanie, także zaszczekał, wołając Milenkę, by tu przyszła i go znalazła. Minęło już co najmniej pięć dni, odkąd ją widział, ale wciąż był pewien, że dziewczynka po niego przybędzie. No... Smyk był tego prawie pewien.

Ludzie, którzy go zabrali, nie byli może okrutni, ale najwyraźniej niezbyt lubili psy. Smyk nie rozumiał, po co chcieli mieć ich tak wiele, skoro nigdy nawet nie przystawali, by je pogłaskać czy przytulić. Mężczyzna tylko dwa razy dziennie podsuwał im miski z jedzeniem, krzywiąc się przy tym, a kobieta w czerwonych rękawiczkach w ogóle nie przychodziła do szopy, gdzie przebywały psy.

Smyk rozpaczliwie tęsknił za Mileną. Przywykł do tego, że jest kochany i pieszczony, że ktoś do niego mówi. Nawet gdy dziewczynka szła do szkoły, miał jeszcze jej mamę i Jacka. Teraz nie miał nikogo i był zrozpaczony. Smyk wierzył, że jego pani z pewnością niedługo przyjdzie i go znajdzie...

Milena usiadła na chodniku.

– Jestem taka głupia – mruknęła do siebie ze złością. Poczuła, że łzy napływają jej do oczu. Dokonała już tak wiele, a teraz nie miała pojęcia, co dalej. Bała się, że nigdy nie odzyska Smyka!

Ale gdy szperała w kieszeni w poszukiwaniu chusteczki, dobiegło ją szczekanie. Szczekanie kilku psów słychać było gdzieś z tyłu budynku. Z całą pewnością nie był to tylko Albert. Brzmiało to jak pięć czy sześć różnych psów, a jeden z nich to musiał być Smyk!

Milena wzięła głęboki wdech i powoli wstała. Obok domu biegła ścieżka, a płot zdawał się stary i niestabilny. Postanowiła przekraść się do tylnego ogródka i dotrzeć do tych psów. Miała nadzieję, że może nawet przeciśnie się przez ogrodzenie. Milena nie mogła się teraz poddać, skoro była już tak blisko!

Gdy przekradała się wzdłuż płotu, kierując się na ścieżkę, ktoś złapał ją za ramię. Zamarła, niezdolna do żadnego ruchu.

I wtedy irytująco znajomy głos zaćwierkał:

– Znaleźliśmy cię, Mileno!

To był głos Jacka!

A z nim oczywiście był tata. To on złapał Milenę, ma się rozumieć. Wzięła wdech i odwróciła się. Tata gromił ją z góry wzrokiem, z twarzą na wpół wściekłą, na wpół zatroskaną.

– Mileno, co ty wyprawiasz? – syknął. – Wiesz, że nigdy, pod żadnym pozorem nie wolno ci się tak samej oddalać!

Wydawało się, że musi naprawdę mocno się powstrzymywać, by nie krzyknąć.

– Tato, posłuchaj, proszę! Chyba znalazłam Smyka! – wybuchła dziewczynka. – To dlatego się oddaliłam i śledziłam tych ludzi z pointerem, mieszkają tutaj.

Tata tylko na nią popatrzył, a potem ze znużeniem pokręcił głową.

– Ile razy mama i ja mamy ci powtarzać, że ci ludzie nie mieli nic wspólnego ze zniknięciem Smyka? Słuchaj, wiem, że rozpaczliwie chcesz go znaleźć, ale ten głupi pomysł przyszedł ci do głowy zupełnie nie wiadomo skąd. A teraz chodź, wracamy do domu.

Milena już by wolała, gdyby na nią nakrzyczał. Spokojne, współczujące i smutne podejście taty do całej sprawy wydawało się okropnie słuszne. To po prostu był głupi pomysł. Cała jej chytra praca detektywistyczna wydała się nagle tak bardzo dziecinna.

– Dobrze – bąknęła żałośnie. A potem się obejrzała. – Gdzie Jacek? – spytała.

Tata spojrzał na swoją rękę, jakby mu się zdawało, że chłopiec ciągle ją trzyma.

– Nie do wiary – mruknął, rozglądając się niespokojnie.

Nagle przez połamany płot Milena dostrzegła skrawek zieleni – kurtkę

Jacka. Podążał ścieżką, którą zamierzała zbadać.

– Tam jest! – zawołała i zaczęła biec, zanim tata zdążył ją zatrzymać.

Jacek przykucnął nieco dalej przy płocie. Nasłuchiwał z uchem przytkniętym do dziury w desce.

Tata złapał go, ale chłopiec wyrwał swoje ręce z uścisku.

– Nie, tato! Znalazłem Smyka! Znalazłem go! – zaczął skakać, podczas gdy tata usiłował go chwycić.

– Jacku, to tylko jakiś pies szczeka, to nie Smyk – tata bardzo się starał nie mówić zbyt gniewnym tonem, wiedział bowiem, jak bardzo dzieciom zależy na odnalezieniu pieska, tracił już jednak powoli cierpliwość.

– To on! Milenko, to on, prawda? Nie będziesz teraz na mnie zła? – Jacek złapał siostrę za rękę i pociągnął z nadzieją. – Posłuchaj!

Dziewczynka przyklękła przy dziurze w płocie.

– Dobrze, posłucham – powiedziała, głównie po to, by uspokoić Jacka.

Po drugiej stronie ogrodzenia Smyk szczekał ze wszystkich sił, rzucając się na ścianę klatki. Wyczuwał obecność Mileny! Wreszcie po niego przyszła! Żałosny ton jego szczekania przerodził się w radość.

– Dobra, koniec tego, idziemy do domu, ale już! – warknął tata. – To niedorzeczne. Co będzie jeśli ludzie, którzy tu mieszkają, wyjdą i zobaczą, że drażnimy ich psy? – złapał oboje za ręce i zaczął iść z powrotem w kierunku ulicy. – Mileno, przykro mi, ale to się musi skończyć. Chodź.

O nie! Pies przeraził się, gdy zaczęli się oddalać! Smyk zaczął drapać pazurkami drewnianą ścianę szopy, chcąc się wydostać i pobiec za nimi. Nie rozumiał, jak mogli go teraz zostawić, skoro byli już tak blisko.

– Tato, to naprawdę brzmi jak szczekanie Smyka – powiedziała z rozpaczą Milena, usiłując pociągnąć go z powrotem. – Proszę! Posłuchaj, nie sądzisz, że to może być on?

– To Smyk! – wtrącił rozzłoszczony Jacek. – Nie słuchasz mnie. Mówiłem wam, że to on – wyrwał rękę z dłoni ojca i pognał z powrotem do płotu. – Słuchaj – i zaczął głośno śpiewać: – Były sobie świnki trzy, świnki trzy... Dalej, Smyku!

A z drugiej strony ogrodzenia Smyk radośnie do niego dołączył:

– Hau, hau, hau, hau, hau, hau...!

– Tak! To on! Oj, tato, znaleźliśmy go! – Milena zarzuciła ojcu ręce na szyję i uściskała go, a potem podbiegła do Jacka, który stał przy płocie.

– Smyku, to ja! Wydostaniemy cię stąd! – zawołała, a potem uściskała brata i poderwała go z ziemi.

Tata patrzył na płot tak, jakby ten właśnie eksplodował.

– Wierzyć się nie chce – mruknął. – Mileno, bardzo przepraszam, powinienem był wcześniej cię posłuchać. To musi być Smyk, po prostu musi – z niedowierzaniem pokręcił głową. – No dobrze, lepiej zobaczmy, co się da zrobić. Nie możemy po prostu wejść frontowymi drzwiami i poprosić, by nam go oddali.

Dziewczynka spojrzała na niego z niepokojem.

– Co zrobimy?

Uśmiechnął się do niej.

– Wszystko będzie dobrze. Wydostaniemy go. Po prostu potrzebujemy pomocy. Zadzwonię do mamy i powiem, żeby zatelefonowała do tego policjanta, który zajmuje się sprawą porwań psów. Nie zdziwiłbym się, gdyby pozostałe psy, które słyszymy, też były skradzione.

Dziesięć minut później pod stary dom podjechał policyjny radiowóz, a Milena i Jacek wybiegli na spotkanie znajomemu policjantowi.

– Może je pan uwolnić? Proszę! – wykrzyknęła Milena.

– Ej, stójcie! Wy tam! Wracajcie! – tata wciąż stał na ścieżce przy płocie i zamachał teraz do policjanta. – Niech pan spojrzy, jacyś ludzie przechodzą przez płot za domem!

Miał rację. Porywacze psów zauważyli radiowóz i próbowali uciec, przedzierając się przez ogrodzenie do sąsiedniego ogródka.

Policjant natychmiast włączył radio i wezwał wsparcie.

– Cóż, najwyraźniej nie chcą, żeby ich na czymś przyłapano – stwierdził. – Jak tu trafiliście? – zwrócił się z zaciekawieniem do taty.

– To Milena – tata wzruszył ramionami, jakby z rezygnacją. – Nie chciała zrezygnować i muszę przyznać, że miała rację.

– Ja też! – wykrzyknął z oburzeniem Jacek.

– Mieliśmy już podejrzenia co do tych ludzi. Próbowali sprzedać szczenięta do sklepu zoologicznego niedaleko stąd. Ale wy dopadliście ich pierwsi – powiedział z uśmiechem policjant. – Mam nakaz przeszukania tego domu. Wiesz, co to znaczy? – spytał, kierując te słowa do Mileny.

Pokręciła głową.

– To znaczy, że mogę wejść do środka i się rozejrzeć. Myślę, że powinniśmy zacząć tutaj, co ty na to? – spytał, podchodząc do rozklekotanej furtki w płocie. Podniósł starą cegłę, która leżała na ścieżce, po czym wyłamał zamek. – Zaraz wracam – oznajmił.

Milena słyszała, jak dobiegające z ogródka szczekanie staje się coraz głośniejsze. Psy z pewnością wiedziały, że nadchodzi ratunek.

– Pamięta pan Smyka, prawda? – spytała z niepokojem, wyciągając z kieszeni zdjęcie. Cały tydzień nosiła je przy sobie, więc było pomięte i postrzępione, ale Smyka wciąż było na nim wyraźnie widać.

– Nie martw się – powiedział do niej policjant krzepiącym tonem. – Wydobędę go stamtąd. Chociaż chyba wcale nie potrzebujesz pomocy!

Dzieci stały przy furtce, wyciągając szyje, by zajrzeć do ogródka. Przy płocie stała duża, stara szopa i policjant pchnął jej drzwi, które się otworzyły.

Milena aż krzyknęła, gdy wypadła zza nich złocista kula i zaczęła biec w jej kierunku. To był Smyk!

Dziewczynka usiadła na trawie, płacząc i śmiejąc się jednocześnie, podczas gdy piesek skakał wokół niej, nie wiedząc, czy szczekać, czy też ją lizać, i próbował robić obie te rzeczy jednocześnie. W końcu przestał, bo zabrakło mu tchu, i zwinął się w rękach dziewczynki, wciskając łebek pod jej podbródek. Westchnął z zadowoleniem, bo wrócił do swoich właścicieli.

Dziewczynka mocno go przytuliła. Cudownie było wdychać słodki zapach jego sierści i czuć jego ciepło w swoich ramionach. Dziwny ucisk w brzuchu, lęk, że już nigdy go nie zobaczy i nie pogłaszcze – wszystko to w jednej chwili zupełnie zniknęło.

Wstała, roztrzęsiona, i uśmiechnęła się do taty i brata nad łebkiem psiaka.

– Chodźmy. Zabierzmy Smyka do domu.

Samotne
święta
Oskara

SERIA BESTSELLEROWA

Holly Webb

WYDAWNICTWO ZIELONA SOWA

Biedna, mała Luna

BESTSELLEROWA SERIA

Holly Webb

WYDAWNICTWO ZIELONA SOWA

Gwiazdko, gdzie jesteś?

BESTSELLEROWA SERIA

Holly Webb

WYDAWNICTWO ZIELONA SOWA

Zaopiekuj się mną